D1366263

# Les dragons de Nalsara

**5**

# • La Bête des Profondeurs •

**L'auteur : Marie-Hélène Delval** est auteur
de nombreux romans et histoires pour la jeunesse,
publiés aux éditions Bayard Jeunesse, Flammarion…
Pour Bayard, elle est également traductrice
de l'anglais (les séries L'Épouvanteur
et La cabane magique, *L'Aîné*…).
C'est une passionnée de «littérature de l'Imaginaire»
et – bien sûr – de fantasy !

**L'illustrateur : Alban Marilleau** a étudié
à l'École Supérieure de l'Image d'Angoulême.
Depuis, il illustre des albums, de la bande dessinée,
et travaille pour Bayard Presse.
Ses ouvrages sont notamment publiés
aux éditions Nathan et Larousse. Pour représenter
l'univers magique des Dragons de Nalsara,
il s'est inspiré des ambiances qu'il fréquentait
déjà enfant, dans les romans de Tolkien.

© 2009, Bayard Éditions
Dépôt légal : avril 2009
ISBN : 978-2-7470-2802-8
Loi n°49-956 du 16 juillet 1949 sur les publications à destination de la jeunesse.

Imprimé en Allemagne par CPI – Clausen & Bosse

Marie-Hélène Delval

# • La Bête des Profondeurs •

Illustrations d'Alban Marilleau

bayard poche

# Les dragons de Nalsara

Cette histoire se passe au royaume
d'Ombrune, sous le règne du roi Bertram.
À deux heures de bateau du port de Nalsara,
la capitale, s'élève l'île aux Dragons.
On l'appelle ainsi car, tous les neuf ans,
deux ou trois dragonnes sauvages
viennent y déposer leur œuf.
C'est là que vit Antos, le Grand Éleveur
de dragons, avec ses enfants, Cham et Nyne.

Cham

Antos

Nyne

# Résumé de l'épisode précédent
## *La nuit des élusims*

Cham et Nyne quittent le palais de Nalsara et voguent vers l'île aux Dragons. Une violente tempête éclate. N'y a-t-il pas de la magie noire là-dessous ? Darkat, le sorcier qui a tenté d'enlever le roi, cherche-t-il à se venger ? Le navire menace de couler, quand une troupe d'élusims surgit et le maintient à flot. Parmi eux, Nyne reconnaît son ami Vag ! Les élusims guident le bateau au cœur de leur royaume jusqu'à l'Île-Qui-N'a-Pas-De-Nom. Quelqu'un attend les enfants dans un lieu appelé le Château Roc.

Là, ils rencontrent Otéron, un nicampe. Celui-ci leur remet un livre. C'est *Elle* qui lui a demandé de le leur donner. Qui est *Elle* ? Otéron ne le sait pas. Le titre du livre est illisible, et ses pages sont blanches. Ce qui est écrit dessus ne se révèle que lorsqu'on en a besoin. Quant au titre, pour le lire, il faut *réfléchir…* Vag conduit ensuite le bateau à travers un mur de brume hors du royaume des élusims.

Arrivés de l'autre côté, les enfants comprennent avec stupeur qu'ils sont les seuls à se souvenir de la tempête, de la rencontre avec les élusims et de l'île sans nom ! Pour Hadal, le capitaine et les matelots, c'était une traversée sans histoire… De retour chez eux, les enfants racontent à leur père les événements du jubilé. Mais ils ne lui parlent ni de la tempête ni d'Otéron ; cela restera leur secret.

Grâce au miroir de Nyne, ils réussissent enfin à lire le titre mystérieux. C'est *Le Livre des Secrets*.

# La visiteuse du soir

L'automne est arrivé. Le vent arrache leurs feuilles aux arbres du verger, de lourds nuages gris viennent crever au-dessus de l'île aux Dragons. Lorsqu'il pleut comme ça sans arrêt, s'occuper des bêtes n'est guère agréable ! Les trois habitants de l'île doivent courir du poulailler à la porcherie, de l'étable à la bergerie en pataugeant dans la boue. Ils ont froid, ils sont mouillés. Et leur humeur finit par être aussi maussade que le ciel.

— Accroche ta pèlerine dans le couloir !

lance Nyne à son frère, avant même qu'il ait mis un pied dans la cuisine. Tu fais des flaques partout ! Je ne vais pas essuyer le carrelage dix fois par jour !

– Oh, ça va ! grogne Cham. Où tu étais, d'abord, pendant que je nettoyais les auges des cochons ? Bien à l'abri dans la grange, hein !

– Je m'occupais de mes lapins, figure-toi ! Pour récolter du beau poil angora, je dois les tenir propres et au chaud !

– Les lapins angoras de la demoiselle ! minaude Cham. Des petites bêtes si…

L'arrivée de leur père l'arrête dans sa lancée.

– Encore en train de vous disputer, vous deux ? grommelle Antos. Occupez-vous plutôt de préparer le souper ! Nyne, mets de l'eau à bouillir ; et toi, Cham, va donc chercher des carottes et des pommes de terre !

– Mais, proteste le garçon, je viens d'ôter mes bottes…

– Eh bien, tu les remets !

Quand son père parle sur ce ton, Cham sait qu'il vaut mieux obéir sans discuter.

Il s'empare d'un panier et, le dos courbé sous l'averse, il court jusqu'à la remise où l'on entrepose les fruits et les légumes. Comme si Nyne n'avait pas pu rapporter ce qu'il fallait en revenant de la grange tout à l'heure !

– Mais, celle-là, quand elle est avec ses bestioles, bougonne le garçon entre ses dents, plus rien d'autre n'existe !

En vérité, Cham est un peu jaloux. Le roi a offert ces lapins à sa sœur en remerciement du service rendu, lors du jubilé.

Pourtant, qu'a-t-elle fait de si extraordinaire, à part se servir de son miroir ?

« Même sans le miroir, songe le garçon, il était facile de comprendre que l'affreux Darkat avait de mauvaises intentions ! »

Tandis que lui, Cham, il a pu transmettre à temps les avertissements de Nour au Maître Dragonnier ! Il a chevauché le jeune dragon pour rassembler les dragonniers et les envoyer à l'assaut du sorcier !

Oh, le roi lui a accordé une magnifique récompense : dès ses douze ans, Cham pourra devenir l'écuyer d'un dragonnier, au lieu d'attendre d'en avoir quatorze comme le veut la règle. Seulement…

« Seulement, je ne les aurai que dans un an et demi, mes douze ans… », ressasse-t-il pour la centième fois.

Le souper se déroule dans un silence morose. On n'entend que le sifflement du vent, au-dehors, et le tintement des cuillères contre les assiettes. Des courants d'air agitent la flamme des chandelles, et de grandes ombres dansent sur les murs de la cuisine.

Soudain, une rafale plus violente secoue la fenêtre. Nyne lève le nez.

Alors, elle reste pétrifiée : un large museau écailleux est collé aux carreaux, tandis que deux yeux dorés observent les dîneurs.

Un doigt tendu vers l'apparition, la petite fille bégaie :

– Papa ! Cham ! Regardez ! Un… un dragon !

Son père et son frère, assis dos à la fenêtre, se retournent d'un bloc.

– Un dragon, en effet ! constate Antos, interloqué. Qu'est-ce qui nous amène un tel visiteur ?

Sans quitter du regard l'arrivant inattendu, Cham se lève. Il s'approche de la fenêtre et annonce :

– Pas un visiteur, papa, une visiteuse. Tu ne la reconnais pas ? C'est Selka[1] !

---

1. Lire *Le plus vieux des dragonniers* (Les dragons de Nalsara, n° 2).

# L'avertissement des dragons

La voix de la dragonne retentit dans la tête du garçon :

« J'ai un message important. Rejoins-moi dans la grange ! »

Cette fois, Cham ne se fait pas prier pour renfiler ses bottes ! Tout en décrochant sa pèlerine, il lance à son père :

– Selka veut nous dire quelque chose.

Et il sort sous la pluie.

L'énorme créature s'est déjà abritée. Accroupie entre les ballots de paille, elle adresse au garçon essoufflé un regard amical.

— Selka ! s'écrie-t-il. Tu n'as pas oublié notre grange ! Tu te rappelles, quand ma sœur t'apportait des bouillies sucrées pour tâcher de te rendre l'appétit ?

« Je n'ai pas oublié, petit dragonnier. »

De s'entendre à nouveau appeler ainsi, « petit dragonnier », Cham sent sa poitrine se dilater. Il se souvient de sa rencontre avec messire Damian, le maître de Selka. Ce grand vieillard tout près de la mort lui avait assuré qu'un jour il entrerait lui aussi dans la caste prestigieuse des dragonniers !

— Selka, reprend Cham, messire Damian… A-t-il vu le Royaume des Dragons avant de mourir ?

« Il l'a vu, Cham ! Il l'a vu sous le soleil de midi, à l'heure où il brille de tous ses feux ! Il l'a vu au plus fort de sa splendeur, et il est mort heureux. Nous lui avons bâti un tombeau de diamant. Il y repose pour l'éternité, honoré par tous les dragons sauvages. Il a été un grand dragonnier ! »

Cham approuve de la tête, ému.

Cependant, la dragonne tend le cou vers lui, et, au fond de ses yeux d'or, il discerne une ombre soucieuse. Il s'inquiète soudain : Selka n'est pas venue de si loin, par ce temps épouvantable, pour le simple plaisir de bavarder !

En effet, la dragonne annonce avec gravité :

« J'apporte un message des dragons : un terrible danger vous menace. »

– Un danger ? Quel genre de danger ?

Une figure sinistre vient de se dessiner dans l'esprit du garçon : celle de Darkat, le sorcier ! Les poursuit-il toujours de sa colère ? Cham déglutit, une boule d'angoisse dans la gorge.

Son père et sa sœur le rejoignent à cet instant.

– Que se passe-t-il ? questionne Antos en repoussant sa capuche trempée.

– Je ne sais pas. Selka parle d'un danger…

Nyne lâche une exclamation effrayée. Elle aussi pense aussitôt au sorcier, l'envoyé

des Addraks, qui a tenté d'enlever le roi lors des fêtes du jubilé.

La dragonne presse doucement le bout de son museau sur l'épaule de Cham, l'obligeant à la regarder :

« Écoute-moi, petit dragonnier ! Ce danger vient de la mer. Et il ne concerne pas seulement l'île aux Dragons. La ville de Nalsara tout entière est menacée ! Des milliers de gens sont en péril. »

– Oh !

– Enfin, Cham, que dit-elle ? s'impatiente Antos.

Le garçon a oublié que les paroles de Selka ne résonnent que dans sa tête. Il les répète, et son père fronce les sourcils :

– Quelque chose qui vient de la mer ? Une énorme vague ? Un raz-de-marée ?

« En quelque sorte, répond la dragonne. En des temps très anciens, la chose se produisait fréquemment. De mémoire de dragon, il ne s'est plus rien passé de tel depuis près de quatre mille ans. À cette époque, la côte était inhabitée ; la cité de

Nalsara n'existait pas. Mais à présent…
Nous pensions la Bête morte ; elle n'était
qu'endormie. »

– La… la Bête ? balbutie Cham.

– Quelle bête ? interrogent ensemble
Nyne et Antos.

« La Kralaane, la Bête des Profondeurs. »
Cham transmet l'information d'une voix
mal assurée. Les trois habitants de l'île
échangent des regards anxieux.

– Je n'ai jamais entendu parler de ça,
marmonne Antos. Selka est-elle sûre de ce
qu'elle raconte ? Ce n'est peut-être qu'une
légende, née de l'observation de phéno-
mènes naturels, comme ces « vagues
tueuses » si redoutées des marins…

« Ce n'est pas une légende. La Kralaane
existe, et elle va se réveiller. Elle s'agite au
fond de son repaire sous-marin, quelque part
dans les abysses. Nous avons ressenti ses
soubresauts jusque sur les côtes du
Royaume des Dragons. Dans peu de temps,
quelques heures peut-être, elle montera à la
surface pour respirer. »

Selka marque une pause pour laisser Cham répéter ses paroles. Puis elle continue :

« En inspirant et expirant, la Bête créera des vents contraires d'une force inouïe. Son surgissement provoquera une violente houle ; et, si elle se met à agiter ses multiples tentacules, des vagues gigantesques se formeront, de véritables murs d'eau. »

Enfin, la dragonne conclut :

« Ces vagues déferleront sur l'île aux Dragons et sur la côte de Nalsara, détruisant et noyant tout sur leur passage. »

Dans le silence tendu qui emplit la grange, on n'entend plus que le crépitement de l'averse sur les tuiles.

« À moins que… »

– À moins que… quoi ?

Selka fixe intensément son jeune interlocuteur :

« À moins que, ta sœur et toi, vous n'aidiez les dragons à renvoyer la Kralaane au fond des eaux avant qu'elle n'émerge. »

# Une mission impossible

Nyne et lui? Que peuvent deux enfants contre le monstre que la dragonne vient de décrire? Le garçon est tellement stupéfait qu'il en oublie de redire la dernière phrase de Selka.

— Eh bien? le presse Antos. À moins que quoi?

La gorge serrée, il fait part de la réponse à son père.

— Ta sœur et toi…? répète celui-ci. Tu es sûr d'avoir bien compris?

Le garçon hoche la tête.

Tous trois restent muets, ressassant l'incroyable information. La dragonne les observe, immobile.

Dehors, le vent siffle. La pluie frappe le toit à petits battements furieux. Antos est le premier à reprendre ses esprits.

– On peut faire confiance aux dragons, dit-il, et plus encore à Selka !

Avec un sourire empli de fierté, il ajoute :

– Quant à moi, je suis obligé de reconnaître que je suis le père de deux enfants… peu ordinaires ! Ce qui s'est passé au palais me l'a confirmé.

Entourant son fils et sa fille d'un bras protecteur, il les serre contre lui et déclare avec gravité :

– Puisque Selka est venue demander votre aide, vous devez la lui apporter. Il semble que le sort de notre île et de la capitale du royaume d'Ombrune soit entre vos mains !

– Mais, papa, proteste Cham, quand j'ai combattu le sorcier, je n'étais pas seul ! J'avais Nour avec moi, et les dragonniers du roi! Il y avait aussi Isendrine et Mélisande, les magiciennes, et…

Il est interrompu par un mouvement de la dragonne. Soufflant un mince jet de fumée, elle ironise:

«Crois-tu donc être seul pour accomplir cette tâche, petit dragonnier? N'ai-je pas dit "Nyne et toi"? N'ai-je pas parlé des dragons?»

– Euh… si, bredouille Cham, un peu honteux.

«Les dragons sauvages ont de grands pouvoirs, reprend Selka. Ils sont capables de protéger leur domaine du cataclysme que produira l'éveil de la Kralaane. Ils n'ont pas besoin de l'aide d'un gamin comme toi! Mais ils ne préserveront pas les terres habitées par les humains sans un secours humain.»

– Qu'est-ce qu'elle t'explique? s'impatiente Nyne en tirant son frère par la manche.

C'est curieux: à cet instant, la petite fille oublie sa peur des dragons! Puisqu'elle a un rôle à jouer dans cette aventure, elle veut tout savoir. Si seulement elle pouvait comprendre les paroles de Selka comme elle comprend celles de son ami Vag, le grand élusim !

Cham la met au courant. Puis il soupire :

– Combattre un monstre marin ? Nous deux ? C'est impossible !

Selka a suivi leur échange en plissant attentivement les yeux. À la fin, elle déclare :

« Écoute-moi, Cham ! Voilà qui devrait te mettre sur la voie : il faut *réfléchir* ! Dis cela à ta sœur ! »

Réfléchir! Le verbe que messire Damian a employé en donnant le miroir à Nyne! Et aussi le nicampe en remettant le livre aux enfants dans le Château Roc!

Dès que la petite fille entend ce mot, elle s'écrie:

— *Le Livre des Secrets*! Bien sûr! Tu te souviens de ce que nous a expliqué Otéron: ce qui est écrit sur ce livre n'apparaît que lorsqu'on en a vraiment besoin! Et, là, je crois que c'est le cas…

— Quel livre? Qui est cet Otéron? De quoi parlez-vous, les enfants? s'enquiert Antos, étonné.

Nyne et Cham échangent un regard embarrassé: ils ont gardé le secret sur leur rencontre avec le nicampe. Ils avaient décidé de ne la révéler à leur père que plus tard ou… jamais! Il semble que le moment soit venu.

— Asseyons-nous, papa! propose Cham. On va tout te raconter.

Ils s'installent sur des ballots de paille. Et, sous le regard bienveillant de la dragonne, les enfants narrent à Antos les fabuleuses péripéties de leur voyage, lorsqu'ils sont revenus du palais royal : la tempête magique – un maléfice du sorcier Darkat –, l'intervention des élusims qui les ont sauvés du naufrage, le Château Roc…

Lorsqu'ils évoquent Otéron, cependant, ils évitent de citer la femme inconnue. Leur père pourrait avoir la même pensée qu'eux, s'imaginer que leur mère vit encore quelque part. Rien ne le prouve, et ils ne veulent pas lui donner de faux espoirs. Ils disent seulement que le nicampe leur a remis un livre.

Tous ces événements, ils sont seuls à se les rappeler : Hadal, qui les accompagnait, le capitaine du navire et son équipage n'en ont gardé aucun souvenir.

Cela démontre bien qu'ils ont un rôle spécial à jouer.

– Voilà ! conclut Cham quand ils ont achevé leur récit. *Le Livre des Secrets* est dans ma chambre. Jusqu'à présent, ses pages sont restées blanches, mais…

S'adressant à la dragonne, il demande :

– Toi, Selka, tu sais ce qui est écrit dessus ?

« Ça se pourrait, petit dragonnier. Seulement, vous devez le découvrir par vous-mêmes. »

## La chanson oubliée

– Dépêchons-nous, Cham! s'écrie Nyne. Allons regarder dans le livre! Car, si jamais la Kralaane se réveille avant qu'on...

Elle n'ose pas achever sa phrase. Tout cela est si incroyable!

Le garçon approuve d'un hochement de menton. Cependant, quelque chose le trouble: comment Selka connaît-elle l'existence de cet ouvrage? Les dragons et les élusims communiquent-ils entre eux? Quels rôles jouent là-dedans Otéron, le nicampe, et la femme inconnue – leur mère, peut-être?

– qui l'a chargé de leur remettre le mystérieux volume?

«En effet, songe-t-il, il serait temps que
le livre nous révèle quelques-uns de ses
secrets…»

«Nyne a raison, intervient la dragonne.
Chaque instant compte. Allez! Moi, je
resterai dans la grange pour la nuit. J'y serai
bien; cela me rappellera les dernières heures
passées auprès de mon vieux maître. Venez
me retrouver ici demain matin. Nous déci-
derons ensemble de ce qu'il convient de
faire.»

– Demain matin seulement? se récrie
Cham. Est-ce qu'on ne devrait pas plutôt…

«Demain! Il vous faut une bonne nuit de
sommeil avant d'affronter l'épreuve à
venir.»

– Je ne pense pas que j'arriverai à
dormir, grommelle Cham.

«C'est ce que tu crois, petit dragonnier!»
lâche la dragonne, railleuse.

Le garçon hausse les épaules. Ils sont en
situation d'urgence, oui ou non? Le raison-

nement des dragons est parfois bien décon-
certant…

— Viens, Nyne, fait-il. On y va.

À l'instant de quitter la grange, une idée
traverse l'esprit de Cham :

— Au fait, Selka, tu arrives d'un long
voyage. Tu as peut-être faim ? Nous avons
des porcs, des moutons…

La créature secoue la tête, l'air amusé :

« Ne t'inquiète pas pour moi, petit
dragonnier ! Je chasserai à l'aube. Je me
souviens que les lièvres de votre île ont une
chair délicieuse ! »

Antos regagne la maison avec les enfants.
Ceux-ci montent dans leurs chambres et en
redescendent aussitôt, Nyne avec son
miroir, Cham avec *Le Livre des Secrets*.

Il pose le volume sur la table de la
cuisine, que leur père s'est empressé de
débarrasser. Le Grand Éleveur se penche sur
l'ouvrage avec curiosité. Suivant de l'index
les caractères d'argent gravés dans le cuir, il
demande :

— Ainsi, vous avez déchiffré le titre ?

— Oui, c'est écrit à l'envers, explique Nyne. Grâce à mon miroir, on…

Son père l'interrompt :

— Mais… d'où vient-il, ce miroir ? Je ne l'ai jamais vu.

Ça aussi, les enfants l'ont tenu secret.

— Oh, fait la petite fille, c'est… un cadeau de messire Damian.

Elle n'ose pas ajouter que cet objet a appartenu à sa mère. Antos poserait des questions, et ce n'est pas le bon moment. Par chance, il se contente de cette explication.

Tous trois restent un instant immobiles. Aucun d'eux n'ose ouvrir le livre. Cham, surtout, sent son cœur cogner à grands coups : et si les pages demeuraient blanches ?

Enfin, le garçon se décide. Lentement, il soulève la couverture brune.

Des lettres se dessinent alors sur le premier feuillet.

– Oooooooh ! soufflent d'une seule voix le père et les enfants.

Un coup d'œil leur suffit à reconnaître le titre, en caractères inversés : *Le Livre des Secrets.* Il est suivi d'un sous-titre, qu'ils décodent facilement, grâce au miroir :

*Formules utiles, sages conseils*
*et avertissements*

Mais… y aura-t-il autre chose ensuite ?

Cette fois, c'est Nyne qui, d'un doigt un peu tremblant, tourne la page.

Comme si une main invisible les traçait sous leurs yeux, deux lignes de texte se forment. C'est une écriture si tarabiscotée qu'elle semble indéchiffrable.

— Avec le miroir, affirme Nyne, on va pouvoir lire.

De nouveau, elle approche du papier la surface réfléchissante.

— Oh, non ! gémit-elle.

Lire est possible, en effet. Comprendre est une autre affaire !

— C'est quoi, cette langue ? grommelle Cham d'un ton agacé.

En réalité, il essaie de dissimuler son angoisse : si cette phrase leur explique comment affronter le monstre dont Selka a parlé, il vaudrait mieux qu'elle soit plus claire ! *Le Livre des Secrets* porte un peu trop bien son nom...

Péniblement, en butant sur chaque mot, il déchiffre à voix haute :

— *Néoc varna slimane, karug er nos dûrim, Sorna lami, mnelek, sorok vanyl !*

Tous trois échangent des regards décontenancés.

– Qu'est-ce que ça veut dire ? demande Nyne.

– Je n'en ai pas la moindre idée, avoue son père.

Après quelques secondes de réflexion, il ajoute :

– Mais peut-être n'est-il pas nécessaire de le savoir ?

– Comment ça ? s'étonne Cham.

– Bien sûr, papa ! s'écrie alors Nyne. Ça doit être une sorte de formule magique – une formule utile, comme il est écrit sur la première page ! Et il suffit de la réciter, même sans la comprendre !

– Hmmm…, fait son frère, à moitié convaincu. Alors, il faut l'apprendre par cœur ?

– À mon avis, oui, déclare la petite fille.

– Bon, concède le garçon.

Et les enfants passent plusieurs minutes à répéter les étranges paroles, jusqu'à savoir les réciter sans se tromper :

*Néoc varna slimane, karug er nos dûrim,*
*Sorna lami, mnelek, sorok vanyl !*

Cham bâille alors à s'en décrocher la mâchoire.

— Oh, que j'ai sommeil ! soupire-t-il.

— Moi aussi, avoue Nyne. J'ai l'impression que mes paupières se ferment toutes seules !

— Eh bien, allons nous coucher, décide Antos. La journée a été fatigante, et qui sait ce que demain nous réserve ?

Cham se remémore alors les paroles de Selka, quand il a déclaré qu'il ne pourrait pas dormir : « C'est ce que tu crois, petit dragonnier ! »

Décidément, la dragonne a toujours raison !

Tous trois ont gagné leurs chambres.

Dans son lit, Nyne marmonne une dernière fois la phrase du livre. À peine a-t-elle prononcé la dernière syllabe qu'elle s'endort.

Cham souffle sa chandelle. Les yeux grand ouverts dans l'obscurité, il répète lui aussi :

— *Néoc varna slimane, karug er nos dûrim, Sorna lami, mnelek, sorok vanyl !*

Soudain, un souvenir frémit dans sa mémoire, une impression venue de très loin : ces mots aux sonorités étrangères, il les a déjà entendus ! Une voix les lui chantait, quand il n'était qu'un tout petit enfant. Cette voix, c'était celle de sa mère ! Et la mélodie lui revient ! Tout bas, il fredonne :

— *Néoc varna slimane, karug er nos dûrim, Sorna lami, mnelek, sorok vanyl !*

Une berceuse ! Cette chanson qu'il avait oubliée est une berceuse ! Est-ce vraiment leur mère qui leur a donné le livre ? Non, c'est impossible ! Dhydra est morte ; elle est tombée du haut de la falaise un jour de tempête, et la mer l'a emportée. Quoique… personne n'a été témoin de l'accident !

Le garçon sent sur sa joue le chatouillis tiède d'une larme.

— Maman…, murmure-t-il.

Puis, curieusement apaisé, il se tourne sur le côté ; avec un profond soupir, il enfonce son visage dans l'oreiller. Dehors, la pluie martèle le toit à grand bruit. Cham ne l'entend plus ; il s'est endormi.

## 5

# La vision de Selka

La mer, aussi noire que la nuit, envoie ses vagues se fracasser sur les falaises de l'île aux Dragons. Les bêtes s'agitent dans l'étable et dans la bergerie, énervées par les hurlements du vent. Les trois humains, eux, ont sombré dans un sommeil profond, un sommeil sans rêve.

Et Selka, accroupie sur la paille, sourit à la manière des dragons, le coin des yeux légèrement plissé : la dragonne perçoit les ondes de calme qui émanent de la maison. *Le Livre des Secrets* commence à jouer son rôle…

Le texte apparu sur ce livre, Selka le connaît ; il est écrit dans la langue des dragons. Il n'a surgi sur la page qu'au moment où il le fallait, et parce que Nyne et Cham ont le pouvoir de l'utiliser. Ne sont-ils pas les enfants de Dhydra ? Oui, malgré leur jeunesse, ils protégeront leur île et la côte de Nalsara de la catastrophe qui se prépare !

Le livre leur a révélé de puissantes paroles d'endormissement, des mots capables de renvoyer la Kralaane au fond de la mer. En attendant, il leur procure un sommeil paisible dont ils ont grand besoin.

Selka, cependant, demeure tendue. Elle guette dans la fureur de la tempête les signes annonçant le fléau : chaque fois que la Kralaane s'éveille, la grande voix de l'océan le clame à qui sait l'entendre. Et les dragons savent.

Selka ferme à demi les yeux, et son esprit traverse l'espace jusqu'au Royaume des Dragons. Là-bas, les dragons sauvages se tiennent attentifs, eux aussi ; ils écoutent, ils observent.

«Le livre joue-t-il son rôle, Selka?»

La dragonne reconnaît la voix mentale de l'un des Anciens.

«Oui, Nhâl, répond-elle. Les humains dorment, à présent.»

«Les enfants seront-ils capables de protéger leur territoire?»

«Je l'espère, Nhâl. Ils ont appris la formule. Même s'ils ne la comprennent pas, je les crois déjà assez puissants pour agir sur la Bête.»

«C'est un malheur que Dhydra ne soit plus auprès d'eux.»

«Oui, Nhâl, un grand malheur... Toutefois, ses enfants ont hérité de ses pouvoirs.»

«Les enfants de Dhydra ne connaissent pas la langue des dragons.»

«C'est vrai, Nhâl. Il faut s'adresser au garçon en langage humain, mais il communique avec nous, comme sa sœur avec les élusims. Ils ont un don très rare!»

«Certes! Cependant, ils sont encore bien jeunes.»

«Ils sont jeunes, en effet. Mais si purs…
C'est ce qui les rend forts.»

Le dialogue s'interrompt. La conscience
de Selka reste cependant reliée à celle des
dragons sauvages, qui veillent, à des milles
et des milles de là.

Les heures passent. Enfin, la ligne d'horizon s'éclaire d'une pâle lueur d'aube. Au
même moment, les dragons ont une vision.

Leurs regards sont devenus un seul
regard. Leurs esprits se rassemblent en un
point unique, au-dessus des flots, quelque
part dans l'immensité de la mer. Et ils
voient.

Une lumière verte monte lentement des
profondeurs. Des cercles concentriques se
dessinent sur l'eau; la houle s'en écarte; le
vent lui-même se détourne, créant à cet
endroit comme un trou de silence.

«Les heures sont comptées, Selka,
reprend l'Ancien. La Kralaane est éveillée.»

«Oui, Nhâl. Au lever du soleil, elle
atteindra la surface. J'alerte les enfants.»

« La Bête va émerger en un point très éloigné de leur île. Leur pouvoir sera-t-il assez fort pour l'atteindre ? »

« La fille gardera les falaises. Le garçon, je l'emmènerai sur mon dos. »

« Sur ton dos ? Voyons, il n'est pas dragonnier ! »

Selka a un petit rire :

« Pas encore, mais il sait chevaucher les dragons ! »

« Si tu le dis… Fais vite, Selka ! »

La dragonne s'ébroue et sort de la grange. Elle hume l'air, où elle discerne une odeur

de gibier. Deux lièvres se sont aventurés hors de leur terrier, dans un pré en haut de la colline.

«Dommage, songe la créature, je n'ai plus le temps...»

Elle lance un appel mental:

«Cham!»

Le garçon ouvre les yeux, brusquement réveillé. Aussitôt, un sentiment d'urgence le saisit: la Kralaane!

D'un bond, il saute hors du lit et va secouer sa sœur.

# Un vol de dragons

Les enfants se sont habillés à la hâte. Ils se retrouvent en bas, dans la cuisine. Un petit jour grisâtre coule par les carreaux.

Nyne chuchote :

– Et papa ?

– Il dort, dit Cham. Laissons-le dormir. Mets ta pèlerine, enfile tes bottes, et allons retrouver Selka ; elle nous attend.

– Mais… s'il se réveille et qu'il ne nous trouve pas ?

Le garçon demande, l'air grave :

– Papa peut-il quelque chose contre la Kralaane, à ton avis ?

Nyne a une courte hésitation. Puis elle avoue :

– Non.

– Je ne le pense pas non plus. C'est nous que Selka est venue chercher. Et je pense que…

– Que… ?

– Je pense que, quoi qu'il arrive, papa ne se réveillera pas avant que tout soit terminé.

Les yeux de sa sœur s'arrondissent de surprise. Il continue :

– Tu as dormi d'un sommeil très profond, cette nuit, n'est-ce pas ?

– C'est vrai…

– Moi aussi ! Et je crois savoir pourquoi. Mais nous en parlerons plus tard. Viens, maintenant !

Les enfants traversent la cour. Si le vent souffle toujours, la pluie a cessé. Le garçon pousse la porte de la grange, passe la tête à l'intérieur et appelle :

– Selka ?

Déconcerté, il se tourne vers sa sœur :

– Selka n'est plus là !
Cham se fait alors rabrouer mentalement :

« Vous en avez mis du temps ! Rejoignez-moi sur la falaise ! Vite ! »

Entraînant Nyne, il s'élance sur le chemin.

Bientôt, ils aperçoivent l'imposante silhouette de la dragonne. Derrière elle, la mer houleuse et le ciel où roulent de lourds nuages se confondent en un même gris de plomb. En les voyant arriver, Selka se redresse de toute sa hauteur, tend le cou, déploie ses ailes. Elle est splendide et impressionnante !

– Cham, fait Nyne, j'aimerais mieux… ne pas trop m'approcher !

La petite fille sent renaître sa crainte des dragons, mêlée à la peur de ce qui les attend. La veille, dans la tiédeur familière de la grange, toute cette histoire lui est apparue comme une nouvelle aventure, plus excitante qu'effrayante. Puis il y a eu les mots, sur le livre, qu'ils ont appris par cœur ; ces instants avaient quelque chose de magique ! À présent, Nyne est seule avec son frère auprès de cette créature redoutable. Et le danger qu'ils doivent affronter est plus redoutable encore.

La dragonne a perçu l'angoisse de la fillette. Repliant ses ailes, elle pose sur elle un regard apaisant. Puis elle s'adresse à Cham :

« S'il te plaît, parle à ta sœur pour moi ! »

Le garçon écoute le message et le transmet :

– Toi, Nyne, tu seras la gardienne de l'île. Tu te tiendras là, au bord de la falaise. Et, le moment venu, tu répéteras les phrases du livre. C'est une incantation puissante, qui devrait renvoyer la Kralaane à son sommeil. Tu t'en souviens ?

– Bien sûr, je m'en souviens ! Mais… comment saurai-je que le moment est venu ?

« Quand une colonne de lumière sortira de la mer, alors il sera temps, dit Selka. Ces paroles, tu les crieras encore et encore. Et, si la voix te manque, tu crieras de toute la force de ton esprit. »

Cham répète. La petite fille hoche la tête. Puis elle demande, anxieuse :

– Et… cela suffira à protéger notre île ?

« Tu n'agiras pas seule, Nyne. Ton frère fera de même, au-dessus de l'océan, là où doit surgir la Kralaane. »

En entendant ces mots, Cham s'étrangle de stupeur :

– Qui ? Moi ? Qu'est-ce que tu dis, Selka ?

– Qu'est-ce qu'elle dit ? reprend sa sœur en écho.

Le garçon ne lui répond pas. Paniqué, il bégaye :

– Mais, Selka… ce n'est pas possible, je… Je ne peux pas…

« Comment ça, tu ne peux pas ? N'as-tu jamais chevauché de dragon, petit dragonnier ? »

– Si…, souffle-t-il.

« Eh bien, c'est moi qui te transporterai ! »

– Qu'est-ce qu'elle dit ? insiste Nyne.

Lorsqu'elle a enfin la réponse, elle lâche calmement :

– Ah !

Nyne sent croître en elle une énergie plus forte que sa peur. Et elle devine que ce courage lui est envoyé par les dragons. Car il n'y a pas que Selka, avec eux. Tout le peuple des dragons sauvages les soutient.

Comme pour lui donner raison, des formes sombres s'élèvent à l'horizon. On pourrait les prendre pour des cormorans. Mais ce ne sont pas des cormorans. Leurs ailes immenses battent avec lenteur ; les premières lueurs du jour allument sur leurs écailles des reflets pourpres, verts ou or.

Nyne pointe le doigt et s'exclame, bouleversée :

– Des dragons !

«Oui, les dragons sauvages partageront leur force avec vous. Dis-le à ta sœur, Cham. Et dis-lui encore ceci : au cas où la mer semblerait s'élever jusqu'au ciel, qu'elle fuie, qu'elle coure se réfugier au plus haut de la colline ! »

Cham transmet la consigne ; la petite fille fait signe qu'elle a compris. Puis, d'un même mouvement, les deux enfants s'étreignent.

– Sois forte, Nyne, murmure le garçon.

– Toi aussi, Cham !

# La Kralaane

Selka s'est accroupie pour que Cham puisse grimper sur son dos. Poussé par sa sœur, il réussit à se jucher sur la bête. Jamais il n'a chevauché un dragon de cette taille ! Lors de son premier essai, Nour n'était qu'un dragonneau. Et la deuxième fois, pendant les fêtes royales, le jeune dragon – pas tout à fait adulte – était sellé. Les écailles de Selka sont dures et lisses. Et s'il glissait en plein vol ? Il tomberait comme une pierre…

« Cale-toi dans le creux à la base de mon

cou, petit dragonnier, lui recommande la dragonne. Coince tes jambes derrière deux écailles, et cramponne-toi à mes piquants ! Je tâcherai de te secouer le moins possible… »

L'instant d'après, elle a pris son essor.

Nyne reste seule, au bord de la falaise. Elle cligne des yeux pour en chasser les embruns ; elle fixe l'immensité grise, houleuse, sauvage. Elle guette de toute son attention ce moment où « une colonne de lumière sortira de la mer ».


Cham vole. Agrippé au cou de Selka, il traverse des masses cotonneuses et mouillées, que les rafales lui plaquent au visage. Au-dessous de lui, l'océan roule ses vagues sombres frangées d'écume.

« Je rêve, songe le garçon. Je dors et je rêve ; ça ne peut pas être vrai… »

Mais il sait bien que c'est vrai. Comme est vrai ce battement puissant et régulier, de chaque côté de lui : celui des ailes d'un grand dragon. Cham vole, et il voudrait que ce vol dure toujours ; il voudrait que n'arrive jamais l'instant effroyable où la Bête surgira des profondeurs. Transi de froid, il ferme les yeux et se répète les mots appris par cœur, ces mots que sa mère lui chantait, quand il était petit. Pour affronter la Bête, il est avec Nyne, avec Selka, avec les dragons ; il est avec sa mère.

« Cham ! »

L'appel le tire de l'espèce d'engourdissement où il s'enfonçait.

« L'heure est venue, Cham. »

Selka ralentit son vol jusqu'à demeurer suspendue dans les airs, les ailes étendues. Cham observe, à quelque distance de là, un alignement de grandes silhouettes sombres, qui se dessinent dans le ciel à contre-jour : des dragons ! En contrebas, un large anneau s'est formé au creux de la houle. À cet endroit, une colonne de lumière verdâtre, venue du plus profond de la mer, crève les flots et s'élève jusqu'aux nuages. Puis une masse sombre, de la taille d'une montagne, monte peu à peu des abysses. La lumière forme un cercle compact ; en son centre apparaît un trait noir, telle la pupille allongée d'un reptile…

C'est un œil ! Un œil monstrueux !

Cham se sent glacé de terreur : l'œil de la Kralaane l'observe !

« Maintenant, Cham ! »

L'appel de Selka a retenti dans sa tête, pressant, mais rassurant. Sans cela, le garçon se serait peut-être laissé avaler par cet œil, comme un mulot fasciné se jette

dans la gueule du cobra. Il se redresse, l'esprit de nouveau en alerte. Il devine que Selka partage sa force de dragon avec lui.

Et il se met à chanter :

– *Néoc varna slimane, karug er nos dûrim, Sorna lami, mnelek, sorok vanyl !*

Il reprend le chant, encore et encore. Sa voix s'affermit, se fait ample et profonde. Si ample que ça ne peut pas être seulement sa voix. Non, c'est l'immense voix silencieuse des dragons, qui l'accompagne !

Le regard du monstre paraît indécis ; une vague passant sur lui le brouille un instant. Ont-ils réussi ? La Bête va-t-elle replonger ?

*Néoc varna slimane…*

Soudain, la surface de l'eau se soulève. Un crâne ruisselant émerge, une énormité rugueuse, bosselée, couverte d'algues et incrustée de coquillages. C'est la tête de la Bête. Sous l'œil unique planté en son milieu s'ouvre un trou aussi noir qu'un cratère – une bouche peut-être, ou une narine ? La Kralaane s'apprête à respirer !

Dans un sifflement aigu, elle inspire, elle s'emplit de l'air dont elle est privée depuis des milliers d'années. Alors les vents, devenus fous, se mettent à souffler des quatre coins de l'horizon. Les flots se creusent avec violence.

Et, dans quelques secondes, la Bête des Profondeurs va expirer…

## 8

# Si la mer s'élève jusqu'au ciel...

Sur la falaise, Nyne fait face au vent, qui la gifle et lui jette les embruns au visage. Elle n'a plus peur. Car elle sent une curieuse vibration dans sa poitrine : c'est le chant des dragons, elle le sait. Les dragons protègent leur royaume, et ils aident les deux enfants à défendre le leur. Mais Selka l'a dit : « Ils ne préserveront pas les terres habitées par les humains sans un secours humain. » Et la petite fille reste là, tendue, attentive.

Elle distingue enfin, au loin, une colonne de lumière verte. Cela sort de l'océan et

monte jusqu'à l'épaisseur grise des nuages.
C'est le signal! La Bête va surgir.

Nyne se met à réciter sourdement :

– *Néoc varna slimane, karug er nos dûrim,*
*Sorna lami, mnelek, sorok vanyl !*

Elle recommence, une fois, deux fois, dix
fois. À mesure qu'elle la répète, l'incantation s'affermit dans sa bouche. Bientôt, elle
la clame à pleine voix. En même temps, elle
guette de tous ses yeux, espérant voir
s'éteindre la colonne de lumière. Cela signi-
fierait que la Kralaane a replongé…

Lorsque le sifflement insupportable lui
parvient, Nyne se couvre les oreilles de ses
mains. Le vent hurle de tous les côtés à la
fois. La mer elle-même s'affole, recule,
s'écarte de la falaise tel un animal effrayé.

Puis l'eau enfle ; elle grossit jusqu'à
mêler son écume aux lourds nuages, du
même gris de plomb. «Au cas où la mer
semblerait s'élever jusqu'au ciel, qu'elle
fuie !…» Ce sont les paroles de Selka.

Or, la petite fille ne fuit pas : ils ne
peuvent pas avoir échoué ! Nyne ne veut pas

y croire. Elle répète et répète encore les mots inconnus. La muraille liquide, là-bas, paraît immobile, suspendue.

Nyne s'acharne; sa gorge lui fait mal. Elle émet maintenant des sons rauques, presque inarticulés. Elle doit continuer, mais elle n'a plus de voix.

Alors, comme la dragonne lui a dit de le faire, elle crie mentalement, de toute la force de son esprit :

*« Néoc varna slimane, karug er nos dûrim, Sorna lami, mnelek, sorok vanyl ! »*

La mer va l'entendre et retomber ! Le ciel et l'océan reprendront chacun leur place; la Bête retournera dans son repaire des profondeurs. Tout danger sera écarté.

Au loin, la masse liquide frémit. Pleine d'espoir, la petite fille lance de nouveau :

*« Néoc varna slimane... »*

Des tourbillons d'écume courent sur les flancs de la montagne d'eau. Puis, lentement, elle se met à avancer.

La vague monstrueuse progresse vers la côte; elle gagne en vitesse à mesure qu'elle

approche. Nyne s'étrangle de terreur. Les mots se brouillent dans sa tête. Elle tente encore une fois :

« *Néoc varna...* »

Au-dessus de l'océan, Cham a cessé de chanter et se cramponne aux écailles de Selka : la Kralaane a relâché son souffle, propulsant la dragonne dans les airs à une hauteur prodigieuse. À grands battements d'ailes, Selka s'efforce d'atténuer le choc :

« Tiens bon, petit dragonnier ! »

Le garçon tient bon. Mais il s'effraie :

– Selka ! La mer !... Il va y avoir un raz-de-marée !

En réponse, une exclamation triomphale résonne dans sa tête :

« On a réussi, Cham ! Regarde ! La Kralaane a replongé ! Elle n'a respiré qu'une fois ; elle n'a pas émergé complètement ; elle n'a pas agité ses tentacules. Elle est retournée à son sommeil ! On a réussi ! »

Cham n'est pas rassuré pour autant :

– Mais, Selka, cette vague énorme...

Elle se dirige vers l'île aux Dragons ! Et ma sœur qui…

«Calme-toi, Cham ! La vague est moins terrible qu'il n'y paraît ; elle se brisera avant d'atteindre la falaise. Si ta sœur n'a pas couru se réfugier sur la colline comme je le lui ai recommandé, elle sera un peu éclaboussée, voilà tout. D'ailleurs, nous arriverons à temps pour l'obliger à reculer. Accroche-toi ! »

La dragonne décrit un cercle rapide et fonce vers l'île.

Mais l'angoisse ne lâche pas le garçon. Il n'aime pas ce refrain de malheur que le vent lui siffle aux oreilles. Il regarde la mer, au-dessous d'eux, et constate que la vague les prend de vitesse.

La falaise se découpe, là-bas, blanche dans le petit jour. Elle n'est plus très loin, maintenant. Et la vague ne déferle pas ! Elle est toujours aussi énorme !

– Plus vite, Selka ! Plus vite !…

Nyne, pétrifiée, voit s'élever un mur d'eau grondant, bien plus haut qu'elle. Cela s'abat avec tant de violence qu'il est impossible d'y résister.

La petite fille ne résiste pas. Elle se laisse emporter par le bouillonnement liquide. Assourdie, aveuglée, elle a juste le temps de penser :

«Est-ce ainsi que maman a disparu?»

Et elle sombre dans le noir.

# Au fond de la mer

Dans les grands fonds marins, des algues se balancent au gré des courants. Des fleurs vivantes s'épanouissent et de larges coquillages bâillent en silence. Des bestioles minuscules aux yeux aveugles circulent parmi les monstres géants.

Dans les grands fonds marins repose la Kralaane. La Bête des Profondeurs est redescendue dans son repaire pour y dormir de nouveau pendant plusieurs milliers d'années.

La vague immense s'est brisée. Elle n'a

pas atteint le rivage de Nalsara. Elle n'a guère fait de dégâts : à peine a-t-elle arraché quelques pierres à la falaise de l'île aux Dragons. Elle a juste emporté avec elle une petite chose qui n'aurait pas dû se trouver là. À présent, un corps frêle descend entre les eaux en tournoyant lentement, bras écartés.

Mais dans les grands fonds marins vivent également des créatures bienveillantes, emplies de sagesse et d'intelligence. Les élusims ont surveillé eux aussi l'éveil de la Kralaane. Ils ont été attentifs à l'agitation des flots, aux affolements des vents. Ils ont mêlé leur chant à celui des dragons sauvages et des deux jeunes humains ; ils ont su que la Bête des Profondeurs allait se rendormir. Rassurés, ils sont retournés à leur royaume sous-marin, derrière la barrière de brume.

Seul l'un d'eux s'est attardé. Il a vu la vague immense rouler vers l'île aux Dragons, et la petite fille sur la falaise ; la petite fille qui a sauvé son œuf, et sans qui il ne serait jamais né…

– NYNE !

Cham hurle à s'en arracher les poumons : la vague a déferlé ; elle a emporté sa sœur ! Selka arrive trop tard !

Dès que la dragonne s'est posée sur le sentier, le garçon se laisse glisser le long de son flanc. À genoux dans la terre boueuse, il se penche au bord de la falaise et fouille désespérément du regard les flots agités. Rien ! Il ne voit rien ! Nyne a disparu.

Une détresse folle s'empare de lui.

« Cham… »

Il se retourne et frappe furieusement de ses poings le museau écailleux qui s'est posé sur son épaule :

– C'est ta faute, Selka ! Pourquoi as-tu mêlé ma sœur à ça ? J'aurais pu le faire tout seul ! J'aurais pu…

« Cham, l'interrompt la dragonne, ta sœur n'a-t-elle pas un ami, qui porte un nom étrange ? »

D'abord, le garçon ne comprend pas. Puis il marmonne :

– Vag ?

« Vag, comme une vague… C'est bien ainsi que Nyne l'a appelé, n'est-ce pas ? »

Plein d'espoir, Cham se penche de nouveau et regarde.

Vag est là ! L'énorme créature marine a émergé non loin de la rive. Sur son dos repose une forme dégoulinante, enveloppée d'une pèlerine trempée.

D'un mouvement de la tête, Vag fait comprendre qu'il se dirige vers la plage, au bas du sentier.

Cham s'est déjà élancé. Sans prendre garde ni à la boue où il dérape ni aux cailloux qui roulent sous ses pieds, il dévale la pente.

Lorsqu'il arrive, l'élusim a déposé la petite fille sur les galets.

Cham se précipite :

– Nyne ! Nyne, réponds-moi !

Nyne hoquette, vomit un jet d'eau salée ; elle tousse, vomit encore. Puis elle ouvre les yeux. Avec un sourire, elle murmure :

– Vag ! Je savais bien que tu ne me laisserais pas mourir…

«Toi non plus, tu ne m'as pas laissé mourir, petite fille, répond l'élusim. Jamais je ne l'oublierai.»

Puis il s'écarte et disparaît dans les flots.

D'un coup d'ailes, Selka s'est posée sur la plage. Elle dit à Cham:

«Ta sœur est trop faible pour remonter seule, même avec ton aide. Et tu n'arriveras pas à la mettre sur mon dos. Va vite chercher ton père. Grimpe sur ce rocher, tu m'enfourcheras plus facilement! Je te ramène là-haut.»

Quelques instants plus tard, Nyne a été ramenée à la maison. Son père l'a déshabillée, frictionnée, séchée, installée dans son lit sous un gros édredon. Adossée à ses oreillers, elle boit à petites gorgées une tisane fumante aux herbes de la colline.

De chaque côté du lit, Cham et Antos la contemplent. Le garçon se demande encore par quel miracle sa sœur est là, saine et sauve! Quand il l'a vue emportée par l'immense vague, cette même pensée lui a traversé l'esprit: «Est-ce ainsi que maman a disparu?...»

Quant à Antos, il sent que bien des choses encore lui échappent. Lorsque son fils a surgi en lui criant d'aller chercher Nyne, le Grand Éleveur venait seulement de se réveiller. Comment a-t-il pu dormir aussi longtemps ? Ce n'est pas naturel… Lui aussi pense à Dhydra, sa femme, la mère de ses enfants. Ainsi, elle leur a transmis le pouvoir de parler l'un avec les dragons, l'autre avec les élusims ! Antos commence même à se demander si ce mystérieux *Livre des Secrets* ne viendrait pas d'elle…

La petite fille repose son bol. Son père lui caresse tendrement la joue :

— Tu vas mieux, fillette ?

— Oh, je vais bien, dit-elle avec un soupir. Mais je suis… vidée !

Son frère se penche vers elle :

— Tu te souviens de l'incantation ?

Nyne fouille sa mémoire, étonnée de ne plus retrouver le moindre mot. Pourtant, elle a clamé la formule encore et encore, jusqu'à en avoir la voix cassée !

— Je… Non… Je ne la sais plus…

Cham sourit. Lui, il n'a pas oublié. C'est normal : cette berceuse, il l'avait déjà tant de fois entendue ! Quant à cette langue inconnue, il en est presque sûr, à présent : c'est celle des dragons. Leur mère parlait la langue des dragons !

À mi-voix, il se met à fredonner :

– *Néoc varna slimane, karug er nos dûrim, Sorna lami…*

Il n'a pas terminé que la tête de Nyne s'incline sur l'oreiller. Ses paupières se sont fermées, son souffle est régulier.

Le garçon murmure :

– Elle dort. Viens, papa. Laissons-la se reposer…

## La promesse de Selka

Nyne dort pendant deux jours et deux
nuits.

Au matin du troisième jour, elle se
réveille. Un rayon de soleil illumine sa
chambre. La petite fille observe un moment
les grains de poussière dorés qui dansent
dans la lumière. Il lui semble qu'elle n'a
jamais rien vu d'aussi beau.

Elle saute du lit et court à la fenêtre. La
mer calme reflète un grand ciel clair. Nyne
essaye de se rappeler : la colonne lumineuse
crevant les flots noirs, le sifflement infernal,

la vague géante… On dirait que rien de tout cela n'a jamais existé! Et ces paroles étranges qu'elle a tant de fois répétées… C'est bizarre qu'elle ne se les rappelle plus.

Avec un haussement d'épaules, elle décrète :

— Bah, quelle importance? Si je ne m'en souviens pas, c'est que je n'en ai plus besoin!

Pleine d'entrain, elle dégringole l'escalier et surgit dans la cuisine en clamant :

— Je meurs de faim!

À peine restaurée, Nyne repousse sa chaise et lance :

— Et mes lapins?

— Ne t'inquiète pas pour tes gros poilus, la rassure son frère. Je me suis occupé d'eux.

La petite fille le regarde, étonnée :

— Toi? Tu t'es…

— Eh ben, oui! poursuit le garçon, avec le plus grand sérieux. Je leur ai porté tous les jours la moitié de la pâtée des cochons. Ils se sont régalés.

— La pâtée des… Oh, non!

Cham pouffe, et la petite fille comprend qu'il la taquine. Elle se jette sur lui, et ils s'empoignent tous les deux en riant.

– Un peu de calme, les enfants! intervient Antos, faussement grondeur.

Songeant au récit que son fils lui a fait des derniers événements, il se dit qu'il a beaucoup de chance d'assister à cette joyeuse scène familiale: après avoir perdu sa femme, il n'aurait pas supporté de perdre sa fille de la même manière. Cependant, une autre pensée le travaille. Il tente de la chasser, mais elle revient sans cesse: Nyne a été sauvée, alors… pourquoi pas aussi Dhydra? Son épouse connaissait tant de secrets! Il le sait, même si elle ne lui en parlait jamais. Et, depuis quelque temps – depuis la dernière éclosion d'œufs de dragons –, il lui semble être environné de mystères. Si seulement le sens de tout cela pouvait bientôt se révéler!

Le Grand Éleveur passe une main sur son visage comme pour écarter ces idées folles. Puis il lance:

– Puisque vous êtes si en forme, tous les

deux, allez donc ramasser les œufs au poulailler ! Mais, avant, vous irez dire au revoir à notre amie la dragonne.

– Selka ? s'exclame Nyne. Elle est encore là ?

– Elle n'a pas voulu nous quitter avant d'être certaine que tu étais rétablie, lui explique Cham.

– Comme c'est gentil à elle !

– Oh, lance le garçon, pince-sans-rire, je crois qu'elle est surtout restée pour chasser les lièvres de l'île. Elle les trouve délicieux !

Ils rejoignent Selka au bord de la falaise. La dragonne est prête à prendre son envol. Elle les accueille en tendant le cou vers eux :

« Je vois que la vie reprend comme avant, sur l'île aux Dragons. C'est bien ! Je peux partir, à présent. »

Cham répète pour sa sœur, et celle-ci déclare, songeuse :

– Je crois que rien ne sera plus jamais comme avant, Selka ! Il s'est passé tant de choses étranges et terribles…

« C'est vrai, reconnaît la créature. Mais ce sont de ces choses qui font grandir… »

Lorsque son frère lui transmet la réponse, Nyne approuve de la tête. Puis elle confie :

– Tu sais, Selka, je n'ai plus peur de toi, maintenant ! Plus du tout !

La dragonne marque son contentement en soufflant un mince jet de fumée blanche.

La petite fille conclut avec un brin de malice :

– Bon, je vous laisse. Je suis sûre que vous avez encore des tas de trucs à vous dire !

Et elle court vers le poulailler.

Resté seul avec l'énorme bête, Cham se sent soudain intimidé. Il balbutie :

– Eh bien… au revoir, Selka ! J'espère que je te reverrai.

La voix, dans sa tête, énonce alors avec solennité :

« Je suis une dragonne sauvage, désormais. Je te promets de revenir un jour pondre sur cette île. Pour toi, Cham ! Et mon premier dragonneau deviendra ton dragon, quand tu auras achevé ta formation de dragonnier. Dans neuf ans.

– Oh !…, lâche le garçon, incapable d'en dire davantage.

C'est exactement ce dont il a rêvé : que son dragon, quand lui-même aura l'âge d'être dragonnier, soit un petit de Selka !

Puis il se reprend et corrige en souriant :

– Dans moins de neuf ans ! La ponte a toujours lieu l'été, n'est-ce pas ? Et nous voilà déjà en automne.

« Tu as raison, petit dragonnier, concède la dragonne, amusée. Dans moins de neuf ans… »

En elle-même, elle songe : « Qui sait ? Peut-être même beaucoup moins… »

Puis, ouvrant ses ailes immenses, Selka s'envole vers le fabuleux Royaume des Dragons.

Retrouve vite Cham et Nyne
dans la suite des aventures de

## Tome 6
## La colère de la strige

Bien que novembre soit arrivé, la mer étincelle sous un beau soleil d'automne. C'est agréable de travailler dehors. Cham et Nyne aident leur père, qui répare la toiture de la grange. Quelques jours plus tôt, une tempête s'est abattue sur l'île aux Dragons ; elle a fait quelques dégâts. Si on ne rebouche pas les trous, aux prochaines pluies, l'eau mouillera la réserve de foin.

Cham, allant et venant le long de l'échelle, apporte à Antos les tuiles que sa sœur, restée en bas, lui passe une à une.

– C'est la dernière ! s'écrie l'éleveur de dragons. Merci de votre coup de main, les enfants !

Cham s'apprête à redescendre lorsqu'un détail insolite attire son attention :

— Nyne ! Viens voir !

— Quoi ? fait la petite fille en grimpant à son tour.

Perchée sur un échelon, juste en dessous de son frère, elle se tourne dans la direction que celui-ci lui indique.

— Qu'est-ce que c'est… ?

— Qu'avez-vous vu ? demande leur père.

— Là-bas, papa ! Regarde ! répond Cham.

Tous trois s'abritent les yeux du revers de la main. Le ciel est d'un bleu très pâle, lumineux, sans un nuage. Sauf…

Sauf, au loin, une curieuse masse noire qui se déplace en ondulant.

— Ce n'est pas un oiseau, murmure Nyne. Ça ressemble à… la strige[1].

Cham sent courir le long de son dos un frisson glacé, qui n'est pas dû à la brise frisquette du matin : sa sœur a dit tout haut ce qu'il pensait tout bas.

---

1. Lire *Complot au palais* (Les dragons de Nalsara, n° 3).

Ils restent un moment à observer le ciel. La chose se rapproche lentement, plane au-dessus d'eux à grande altitude. Puis elle décrit un large cercle autour de l'île avant de s'éloigner enfin.

«La strige est venue nous espionner… Qu'est-ce qu'elle nous veut?» s'interroge le garçon.

– Bon, ce n'est rien, déclare Antos. Vous voyez, ça s'en va.

En effet, l'espèce de nuée semble s'enfoncer dans la mer, derrière la ligne d'horizon. L'instant d'après, elle est hors de vue.

– C'était trop haut pour qu'on distingue bien, dit Cham, mais…

– … mais ça ressemblait à la strige! insiste Nyne.

– Allons, reprend leur père d'un ton léger, ne vous montez pas la tête! Il s'agit probablement d'un phénomène naturel, un lambeau de fumée emporté par le vent ou un simple nuage.

– Un nuage qui aurait fait le tour de l'île ? grommelle Cham. Bizarre !

Tandis qu'ils descendent du toit l'un derrière l'autre, l'éleveur de dragons explique :

– Tu sais, en altitude, il y a souvent des courants contraires. Le vent a changé de sens, voilà tout.

Le frère et la sœur ne demandent qu'à se laisser convaincre. D'ailleurs, le ciel est si pur, le soleil si agréablement tiède sur leur visage que rien ne devrait troubler une aussi belle matinée.

La journée s'écoule, tranquille, occupée par les tâches quotidiennes. Mais, en fin d'après-midi, alors que le crépuscule tombe déjà, l'inquiétude des enfants resurgit.

Nyne met la soupe du dîner à mijoter sur le fourneau. Puis elle fait signe à son frère de la rejoindre dans sa chambre. Antos est à l'étable pour la traite du soir, ça leur donne le temps de discuter entre eux.

Dès qu'elle a refermé la porte, la petite fille s'écrie :

— Ce qu'on a vu ce matin, tu crois que c'était un nuage ou de la fumée, toi ?

— Eh bien, ce n'est pas impossible…

— C'était la strige, Cham ! Tu le sais aussi bien que moi.

Elle marque une pause, puis elle reprend :

— C'était la strige, et elle a disparu vers le nord, en direction du…

Son frère termine la phrase :

— … du territoire des Addraks. C'est ce que j'ai pensé aussi.

— Qu'est-ce que ça signifie, Cham ?

Le garçon hausse les épaules :

— Comment veux-tu que je le sache ?

— Moi, j'aimerais bien en apprendre plus.

— Ah oui ? Et comment ?

Sa sœur lâche un soupir d'impatience :

— J'ai mon miroir ; tu as le cristal-qui-voit. C'est le moment de s'en servir, non ?

En vérité, Cham a envisagé cette possibilité. Il n'en a rien dit parce qu'il a peur. Peur de ce qu'ils pourraient découvrir…

— Bon, décide Nyne, commençons par le miroir !

Elle sort d'un tiroir le sachet de velours qui protège le précieux objet. Elle dénoue le cordon et fait glisser dans sa main le cadeau du plus vieux des dragonniers. Il est rond, encadré d'un simple cercle d'argent. Lorsque la fillette le tient ainsi, posé sur sa paume, elle ressent toujours un mélange de joie et de chagrin, d'inquiétude et de curiosité. Cette petite glace, qui a appartenu à sa mère, possède des pouvoirs si mystérieux !

Les enfants se penchent vers la surface de verre. Pour l'instant, celle-ci reflète simplement leurs deux visages anxieux.

« S'il te plaît, miroir, supplie Nyne en silence, réfléchis ! Réfléchis pour nous ! »

# Les dragons de Nalsara